Ga jij maar op de gang!

Van Jacques Vriens verschenen bij Van Goor en Piccolo:

Tommie en Lotje, lieve en stoute verhalen voor kleuters
Tommie en Lotje lopen weg
Tommie en Lotje vangen een koe
Tommie en Lotje vinden een schat
Ik ben ook op jou
Eindelijk aktie
Menno zet zijn schoenen
Napoleon
Napoleon, de stoerste kater van de hele buurt

Jacques Vriens

Ga jij maar op de gang!

Met tekeningen van Alex de Wolf

Van Goor

Omslagtypografie: Toine Post

ISBN 90 0003 113 3

1 De soep is oem

Met een diepe zucht buigt Ward zich over zijn schrijfschrift.
'En je weet het,' zegt meneer Fred tegen de hele groep, 'je houdt de pen losjes in je hand. Niet knijpen!'
Ward knijpt de pen bijna fijn tussen zijn vingers.
'Nu zet je de pen záchtjes op papier.'
Ward plant de punt op het papier en drukt er dwars doorheen. Hij schuift gauw een regel naar beneden. Zijn pen trekt een dikke, vette streep.
'Let op!' zegt meneer Fred. 'Ik schrijf nu een regel voor op het bord. Ik begin bovenaan en dan op-en-neer en op-en-neer en op-en-neer.'

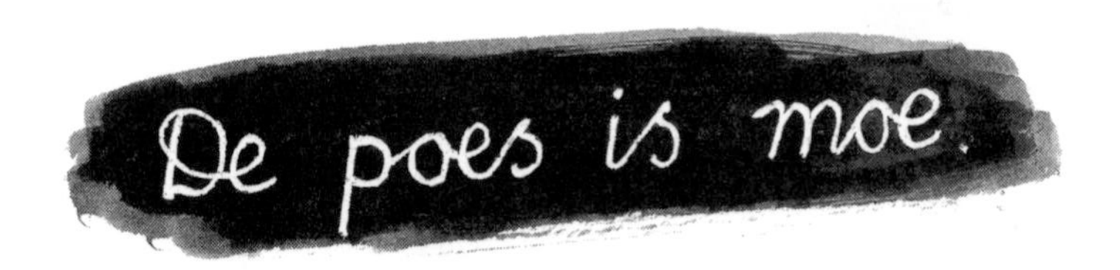

Ward kijkt naar het bord, kijkt in zijn schrift en zucht weer . De andere kinderen van zijn groepje zijn ijverig aan het schrijven.

Remco is al bijna klaar.
Die schrijft mooie letters, denkt Ward.
Remco is in alles super. Tegen hem doet meneer Fred altijd aardig. Remco weet veel, schrijft superletters en heeft vaak 'Goed zo!' in zijn schrift staan.
Ward bladert terug in zijn eigen schrift.
'Puinhoop!' staat er.
Of 'Opnieuw en nu netter!'
Of 'Geknoei! Onvoldoende!'
Lisa, die tegenover hem zit, wijst naar zijn schrift en fluistert: 'Ward, schrijven!'
Ward knikt en buigt zich voorover.

Wat moest hij ook al weer schrijven? Hij kijkt naar het bord en zegt zacht: 'De poes is moe.'
Nu gaat hij echt zijn best doen. Hij wil eindelijk ook eens 'Goed zo!' in zijn schrift.
Ward klemt zijn pen stevig vast, zet hem op het papier, tong uit de mond en daar gaat hij.

De soep is oem

Remco loert in Ward zijn schrift en schiet in de lach.
'De soep is oem!' roept hij. 'Ward schrijft: de soep is oem.'
De hele klas begint te schateren.
Ward kijkt even verbaasd om zich heen en lacht dan mee.
De enige die niet lacht is meneer Fred, maar die lacht bijna nooit.
Hij klapt in zijn handen. 'We gaan door,' roept hij boos. 'En Ward, doe even normaal. Anders ga je maar op de gang staan.'
Stomme vent, denkt Ward. Iets anders kan hij niet verzinnen.
Hij zegt nooit: ga maar op het plein staan. Of ga maar in de hoek staan of aan het bord hangen. Of ga maar op het dak zitten of in de gootsteen van het aanrechtje.
Meneer Fred is de saaiste meneer die hij ooit gehad heeft. Hij heeft saaie kleren aan, hij heeft een saaie stem en hij geeft saai straf.
Ward streept de zin door en probeert het opnieuw.
Maar de soep blijft oem.
Hoe moest het ook alweer? Juffrouw Andrea van zijn vorige school heeft het hem uitgelegd. Hij hoort weer haar stem. Juffrouw Andrea was niet saai. Die was lief en vrolijk en die hielp hem altijd.
'Kijk Ward,' zei ze dan. 'Jij draait vaak de letters om. Daar kun je niks aan doen. Dat is iets in je hoofd. Het is net of daar twee draadjes verkeerd zitten. Je moet de woordjes

eerst zachtjes spellen en dan opschrijven terwijl je ze nog een keer spelt.'
Ward kijkt naar het bord.
Meneer Fred heeft het al uitgeveegd. Er staat een nieuwe zin.

Ward spelt langzaam alle letters.
Nu moet het goed gaan. Hij zál meneer Fred laten zien dat hij het wel kan.
Ward schrijft:

De weg zit vl reet

Remco heeft er al op zitten wachten en roept: 'De weg zit vol reet!'
De hele klas ligt dubbel.
'Ward!' brult meneer Fred. 'Nu is het genoeg. Ga jij maar op de gang staan!'
Ward staat met een ruk op zodat zijn stoel omvalt. Hij rent naar de hoek van de klas, springt op het aanrechtje en gaat in de gootsteen staan.
De kinderen joelen en lachen.

Ward steekt zijn armen in de lucht alsof hij wereldkampioen is geworden. Iedereen begint voor hem te klappen. Behalve meneer Fred. Die kijkt met grote ogen naar hem en zijn mond valt open van verbazing.
De klas is door het dolle heen.
Ward zakt op zijn hurken. Het gootsteentje buigt een beetje door onder zijn gewicht.
'Kom daar uit!' dondert meneer Fred. 'Onmiddellijk!'
Hij stormt op hem af en begint aan zijn arm te rukken.
Ward duikt in elkaar.
Meneer Fred weet niet wat hij moet doen.
De klas juicht en moedigt Ward aan. 'Wardje! Wardje! Wardje!'
Dan pakt meneer Fred hem op en zet hem als een pakketje op de grond.
'Naar de gang!' schreeuwt meneer Fred en van woede sprietst hij een klodder speeksel uit.
Ward maakt zich nog kleiner.

Meneer Fred sjort en trekt aan hem. 'Naar de gang, zeg ik. En ik wil je voorlopig niet meer zien!'
Maar wat hij ook probeert, hij krijgt geen beweging in Ward.

De hele klas schatert het uit.
Meneer Fred roept: 'Als jullie niet ophouden, dan kunnen jullie die hele playback-wedstrijd vergeten.'
Daar schrikken de kinderen van en het wordt meteen doodstil. Aan het eind van de week vieren ze met de hele school de verjaardag van de directeur. Alle groepen mogen dan een playback-nummer doen in de schoolzaal.

De kinderen vinden het ineens niet meer leuk.
'Je moet hem gewoon oppakken!' zegt Thijs tegen meneer Fred.
'Ward is gek!' zegt Remco.
'Meneer, je moet hem aan zijn benen trekken,' zegt Esmee.
Plotseling springt Ward overeind en rent de klas uit.
Hij gooit de deur keihard achter zich dicht.
In de klas joelen en lachen de kinderen.
Daar bovenuit klinkt de stem van meneer Fred. 'Stilte! Ik wil niemand meer horen! Nu is het uit!'
Pas na een tijdje wordt het weer rustig in de klas.
Ward gaat op de grond zitten met zijn rug tegen de jassen die aan de kapstok hangen.
Hij bijt op zijn lip, knijpt in zijn vuisten en fluistert: 'Niet huilen, ik wil niet huilen.'

2 Jassen

Ward heeft zich verstopt achter de jassen.
Hij wil hier niet meer zijn. Hij wil terug naar zijn oude school.

'Juffie Andrea,' fluistert hij zacht, 'ze lachen me uit en die rot Fred moppert de hele dag op mij.'
Zijn oude school, die was fijn.
Maar die moest dicht. Zomaar ineens.

Juffrouw Andrea heeft het vorig jaar allemaal uitgelegd. De school was te klein. Er zaten te weinig kinderen op. Of dat zo erg was! Je kende alle kinderen en alle juffies en meesters. Het was net een gezellig huis waar je overdag even woonde.
Zijn vader had eens gevraagd: 'Moet onze Ward niet naar zo'n speciale school voor kinderen die moeite hebben met leren?'
Maar dat wilde juffrouw Andrea niet. 'Zo lang wij hem hier kunnen helpen, doen we dat,' zei ze. Daarom mocht hij vaak nablijven voor extra uitleg en hij kreeg een apart rekenboek. Juffrouw Andrea leerde hem trucjes zodat hij de woorden niet meer omdraaide.
En als hij weer eens van zijn stoel viel, omdat hij niet lang kon blijven zitten, dan lachte ze. 'Hier,' zei ze dan, 'breng dit boek maar even naar meester Erik en neem de langste weg.'
Hij liep dan het hele gebouw minstens drie keer rond voor hij bij de klas van meester Erik aanklopte.
En als hij dan, na nog drie rondjes door de school, weer terugkwam bij juffrouw Andrea kon hij wel een kwartier stilzitten.
Dat van dat boek was natuurlijk ook zo'n trucje van haar. Maar het was een gaaf trucje.
Nee, bij juffrouw Andrea wilde hij nooit meer weg. Maar het moest, want de hele school ging weg.
'Ze gaan allemaal grote scholen maken,' had de juf uitgelegd. 'Dat vinden ze beter. Dan hebben ze meer geld. Ze kunnen dan heel veel computers kopen en een héél groot kopieerapparaat. De directeur heeft ook geen eigen klas meer. Hij heeft dan veel meer tijd om alles te regelen.'

Wie is hier op mijn nieuwe school eigenlijk de directeur? denkt Ward.
Niet meester Erik. Die had hij nooit meer gezien, sinds hij hier zat. Net als juffie Andrea. Die was ook zomaar ineens weg.
Is die man met die snor soms de directeur? Het lijkt een engerd.
Of die lange juffrouw? Die loopt altijd zo snel, dat het even waait als ze langskomt.
Ineens hoort Ward de deur van de klas opengaan.
Voorzichtig gluurt hij tussen de jassen door. Het is Lisa. Ze ziet hem en komt naar hem toe.
'Waarom ging jij in de gootsteen zitten?' vraagt ze.
Ward trekt gauw een jas voor zijn gezicht en geeft geen antwoord.
Lisa is de enige in de klas die echt aardig tegen hem doet. De andere kinderen lachen wel om hem, maar ze willen nooit met hem spelen. Lisa wel en ze draait soms ook letters om. Hij heeft haar het trucje van juffrouw Andrea geleerd.
Lisa trekt zachtjes aan de jas. 'Ward, waarom zeg je niks?'
Van achter de jas hoort ze: 'Mompel, mompel, mompel.'
Lisa giechelt.
Ward duwt de jas als een soort gordijntje opzij en snauwt: 'Nou lach jíj me ook al uit!' En weg is hij weer.
Lisa zakt op haar hurken en zegt: 'Ik lach je niet uit, maar ik vind je gemompel zo leuk.'
Het blijft even stil.
'Weweer-Fwed-isj-wuf-gonijn,' hoort Lisa nu.
'Wat zeg je ?'
Het gordijntje gaat weer met een ruk open.

‘Meneer Fred is een duf konijn,’ zegt Ward. ‘Een héél duf konijn.’

Lisa schiet weer in de lach. Haar bruine ogen zitten vol sterretjes.

Ward moet nu ook lachen.

‘Je moet niet van die rare dingen doen,’ zegt Lisa. ‘Daar kan meneer Fred niet tegen. Dan raakt hij helemaal in de war en gaat hij schreeuwen.’

‘Maar hij zegt altijd: ga maar op de gang staan,’ antwoordt Ward. ‘Hij verzint nooit eens wat nieuws. Ik wel.’

Lisa haalt haar schouders op. ‘Jij verzint altijd van die rare dingen,’ zegt ze. ‘Jij hebt veel te veel fantasie.’

Ward kijkt haar even aan en denkt: soms snapt zélfs Lisa me niet.

'Maar de kinderen vonden het toch leuk,' zegt hij. 'Ze gingen allemaal voor mij klappen.'
'Eerst wel, maar daarna niet meer.'
'Dat kwam door meneer Fred,' roept Ward boos. 'Die ging dreigen met de playback-wedstrijd. Maar dat kan me niks schelen, want ik mocht toch al niet meedoen.'
'Dat was je eigen schuld,' antwoordt Lisa. 'Jij deed heel raar toen we gingen oefenen. Er zijn trouwens meer kinderen die niet zijn uitgekozen.'
Aan het eind van de lange gang klinken voetstappen.
Lisa staat op en rent naar de wc.
Ward verdwijnt gauw achter de jassen.
Even later voelt hij een koude windvlaag voorbij komen.
Dat moet dat lange mens zijn.
De vlaag stopt bij zijn klas en maakt de deur open.
Hij hoort een onbekende stem: 'Meneer Fred, ik kwam Ward halen voor de remiediel tietsing.'
Wat is dat nou weer? Remiediel tietsing? Het is vast iets heel griezeligs. Een speciale straf voor jongens die in de gootsteen zijn gaan staan. Voorlopig blijft hij lekker zitten waar hij zit.
Dan hoort hij meneer Fred. 'Dat joch moet hier in de gang zijn, want ik heb hem er weer uitgezet. We zijn pas een maand bezig, maar ik weet het niet meer. Ik heb echt al van alles geprobeerd. Hij kan geen vijf minuten op zijn stoel blijven zitten en hij roept overal doorheen. En moet je eens kijken wat een puinhoop hij van zijn schriften maakt.'
De stem antwoordt: 'Op zijn vorige school zeiden ze al dat hij een moeilijke leerling was. Maar ze vonden dat we het toch moesten proberen. Met wat extra hulp zou het mis-

schien lukken. Vanaf vandaag geef ik hem remedial teaching. Iedere dag drie kwartier.'
Ward schrikt. Hij stoot tegen een jas aan en die valt met een plof op de grond.
Twee verbaasde gezichten kijken hem aan.

3 Verstoppen

Ward wil wegduiken achter een andere jas, maar meneer Fred staat al voor hem.
Hij trekt hem ruw overeind. ‘Wat is dit voor onzin?’
Ward staart hem aan en zegt niks.
‘Moet je dat brutale gezicht nou weer eens zien,’ zegt meneer Fred.
Het lange mens buigt zich naar Ward. ‘Ik ben Marion,’ zegt ze. ‘Ik ben de remedial teacher.’
‘Gatverdamme,’ antwoordt Ward. Hij probeert zich los te rukken, maar meneer Fred heeft hem nog steeds vast met zijn grote klauw.
Marion lacht en vraagt: ‘Weet je wat dat is, een remedial teacher?’
‘Nee,’ antwoordt Ward, ‘en ik hoef het niet te weten ook.’
Hij haalt uit met zijn voet en geeft meneer Fred een schop tegen zijn schenen.
‘Au!’ roept meneer Fred en laat hem los.
Ward maakt dat hij wegkomt.
‘Hier blijven!’ brult meneer Fred. Hij wil hem achterna gaan, maar Marion houdt hem tegen.
‘Laat maar,’ zegt ze. ‘Ik ga wel naar hem toe.’
Ondertussen sprint Ward door de gang. Hij rent de eerste de beste trap op die hij tegenkomt. Even later staat hij weer

in een lange gang. Hier is hij nog nooit geweest. Hij kent alleen de weg van de voordeur naar zijn klas en vandaar naar de gymzaal.
Hij moet zich verstoppen. Als meneer Fred hem te pakken krijgt, dan moet hij vast in het kolenhok. Net als zijn opa. Die heeft hem wel eens verhalen verteld over vroeger. 'Ik was ook niet zo'n gemakkelijk baasje op school,' vertelde opa dan. 'Net als jij Ward kon ik nooit stilzitten. En als ik dat mooie lieve nekkie van Marietje van de dokter zag, vóór mij in de bank, dan kon ik het niet laten. Hops, ik goot zo in één keer de inktpot leeg in haar blouse. De meester werd natuurlijk woest. Hij sleurde mij uit de bank en smeet me in het kolenhok. Daar moest ik de hele dag blijven zitten. Zonder eten en drinken. En ik mocht pas om zes uur naar huis.'

Ward hoort voetstappen op de trap. Ze klinken dreigend en hol.
Hij kijkt om zich heen.
Daar, die deur staat open!
Snel schiet hij naar binnen.
Is dit het kolenhok van opa?
Hij staat in een smalle lange ruimte met grote rekken langs de muur. Er liggen stapels boeken en schriften op. Door een hoog raam valt er een beetje licht naar binnen.
Zo'n hok hadden ze op zijn oude school ook, maar dat was veel kleiner.
Natuurlijk is dit niet het kolenhok. Dit is het magazijn.
Lisa had gelijk. Hij verzint veel te veel.
Dat vond juffrouw Andrea vorig jaar ook al. 'Je moet maar verhalenschrijver worden,' zei ze. 'Je hebt een hoop fantasie.'
Ward gaat op een grote doos zitten die midden in het magazijn staat.
'Verhalenschrijver,' zegt hij zacht tegen zichzelf. 'Hoe kan dat nou? Ik schrijf alles verkeerd op. Dan snapt niemand mijn verhalen toch? De poes is oem en de weg zit vol reet.'
Hij schiet in de lach.
Dit is best een fijne plek om je te verstoppen voor meneer Fred en dat lange mens.
Het ruikt hier naar potlood en krijt.
Als hij nou eens boven op zo'n kast klimt. Dat kan makkelijk, want je kunt zo van de ene plank op de andere stappen.
Ja, dat is een goed plan!
Hij blijft hier gewoon de hele dag zitten net als zijn opa.
Dan kan niemand hem vinden.
In de hoek ziet hij een paar flessen staan. Cola, limonade en

appelsap. Dat komt goed uit: er is genoeg drinken. Nou moet hij alleen nog wat eten zien te vinden.
Zou je krijt kunnen eten? Vast niet, anders had zijn opa hem dat wel verteld.
Hij zet zijn voet op de eerste plank van de grote kast en trekt zichzelf omhoog aan de volgende plank. Dat gaat hartstikke goed. Nu nog hoger.
Met zijn voet duwt hij wat boeken opzij en stapt op de volgende plank. Goed zo, het gaat bijna vanzelf.
Ward klimt hoger en hoger en even later zit hij boven op de kast. Het is hier stoffig en er zitten een paar grote spinnenwebben. Ward huivert. Hij houdt niet van spinnen. Maar het is hier wel veilig.
Naast hem ligt een aangebroken pak met plastic bekertjes. Dat is handig voor straks als hij alle flessen gaat leegdrinken.
Tevreden kijkt hij naar beneden en hij schrikt ontzettend. Het is veel hoger dan hij dacht. Hij heeft hoogtevrees, maar dat was hij even vergeten.
Ward wil gaan huilen, maar hij slikt zijn tranen gauw in. Als meneer Fred hem hoort en hiernaar toe komt, raakt die vent helemaal in de war. Hij schreeuwt vast de hele school bij elkaar. En dan komt die man met die snor en het lange mens.
Ward kruipt zo ver mogelijk naar achteren en drukt zich tegen de muur.
Hij weet niet meer wat hij moet doen.

4 Het lange mens

'Zit je lekker?' vraagt een vriendelijke stem.
Voorzichtig kijkt Ward over de rand van de kast.
Beneden hem staat het lange mens.
'Ga weg!' roept hij. 'Stom wijf.'
'Ik heet Marion. Hoe ben je in 's hemelsnaam op die kast gekomen? Ik vind het wel knap van je.'
Het blijft even stil.
Dan mompelt Ward: 'Nou gaat ze slijmen.'
'Wat zeg je?' vraagt Marion.
'Slijmen!' roept Ward boos en hij kruipt weer zo ver mogelijk naar achteren. Hij wil dat lange mens niet meer zien.
Marion schiet in de lach.
'En nou lach je me uit.'
'Ik lach je niet uit.'
'Dat doe je wel. Iédereen lacht me hier uit. Ik kan niks, ik mag niks en ik doe alles verkeerd.'
'Dat is niet waar, Ward.'
'Dat is wél waar. En mijn vader heeft gezegd dat... dat...'
Weer is het stil.
Marion vraagt: 'Wat zei je vader dan?'
'Dat... dat als ik niet goed kan leren, ik maar naar zo'n speciale school moet. Zo'n school voor domme kinderen. En dan komen ze je halen met een busje en dan lacht iedereen

je uit en dan gaan ze van die rare liedjes zingen. Ik wil niet naar zo'n domme-kinderen-school. Ik wil terug naar mijn ouwe school. Naar juffie Andrea.'
'Je oude school is weg. Dat weet je toch.'
'Maar waarom dan? Het was een hartstikke fijne school.'
'Dat moest van de minister, Ward. Daar kan ik ook niks aan doen.'

'Van wie?'
'Van de minister. Dat is de grote baas van alle scholen.'
Ward kijkt weer over de rand en roept: 'Dan is die minister een lul en meneer Fred ook en jij bent... jij bent een...'
'Nou?' vraagt Marion.
'Jij bent stom!'
'Hoe weet jij dat nou?' zegt Marion en haar stem klinkt ineens niet meer zo aardig. 'Je kent me niet eens.'
Ward steekt even zijn tong naar haar uit en trekt zich gauw weer terug achter op zijn plank.
Marion gaat met een zucht op de grote doos zitten.
'Luister, Ward. Ik ben er om je te helpen. Iedere dag kom ik je halen en dan gaan we samen een uurtje apart zitten. Alle dingen die jij moeilijk vindt, zullen we oefenen. Je zult zien, dat het steeds beter gaat. Echt waar. En natuurlijk is het vervelend dat je oude school weg is, maar dat is nou eenmaal zo.'
Ineens hoort Marion een zacht gesnik.
'Huil je?' vraagt ze.
'Nee!'
'Maar huilen is best lekker hoor. Ik had een vriend, maar die is een paar maanden geleden bij me weggegaan. Toen heb ik vreselijk gehuild. Ik gebruikte wel vijf pakjes papieren zakdoekjes op een dag.'
Ward geeft geen antwoord.
'Nou?' vraagt Marion. 'Blijf je daar zitten?'
Ward pakt een paar plastic bekertjes en smijt ze naar beneden.
'Hé!' roept Marion.
'Rot op!' schreeuwt Ward en hij gooit er nog een paar bekertjes achteraan.

Marion is nu echt boos. 'Nou moet je ophouden, Ward! Ik ben gekomen om met je te práten. Maar als je zo doet, ga ik weg.'
Het blijft een hele tijd stil op de kast.
Marion raapt de bekertjes op en stapelt ze in elkaar.
'Luister, Ward,' zegt ze en haar stem klinkt weer gewoon.
'Nee!'
'Waarom kom je niet naar beneden? Dan kun je me alles vertellen over je oude school. Ik wil heel graag weten hoe ze je daar geholpen hebben.'
Een boos hoofd kijkt over de rand en gromt: 'Dat kan ik je zo ook wel vertellen.'
Marion knikt. 'Natuurlijk, maar ik moet almaar omhoog kijken. Ik krijg pijn in mijn nek. Kom nou naar beneden.'

'Ik durf niet,' zegt Ward. 'Naar boven wel, maar naar beneden niet.'
'Jij bent ook een mooie,' zegt Marion en ze lacht.
'En ik kan je niet komen halen, want ik heb hoogtevrees.'

'Ik ook,' antwoordt Ward.
Marion lacht weer.
Eindelijk moet Ward ook lachen.
'Wacht even,' zegt Marion. 'Ik weet een heel lange trap te staan. Die haal ik even. Dan kom ik je redden.'
'En dan?' vraagt Ward.

'Dan gaan we naar mijn kamertje.'
'En hoef ik dan niet naar zo'n speciale school voor domme kinderen?'
Marion aarzelt even. 'We gaan samen heel erg ons best doen. Zullen we dat afspreken?'
Ward knikt.
Marion gaat het magazijn uit en doet de deur achter zich dicht.
Ward denkt na.
Marion is aardig, maar ze lijkt niet op juffrouw Andrea. Die was veel kleiner en had grote blauwe ogen. Die Marion lijkt meer op een lange Chinees. Ze is ook een beetje bruin. En ze kan wel boos worden, maar het is ook gauw over.
De deur van het magazijn gaat weer open. Eerst komt er een stuk van een lange ladder en dan komt Marion. Ze zeult het ding naar binnen en zet hem tegen de kast.
'Majesteit, uw trap,' zegt ze.
Voorzichtig klautert Ward naar beneden.
'Nou moet die trap weer terug naar het hok van de schoonmakers,' zegt Marion. 'Als jij hem aan de voorkant pakt, neem ik de achterkant.'
Ze sjouwen de trap de gang in. Aan het einde is het hok en daar zetten ze hem terug.

‘Zo, dat is dat.’ Marion pakt Ward bij de hand. ‘Kom.’
Samen lopen ze de school door.
Marion neemt grote stappen. Ward kan haar bijna niet bijhouden.
‘Wat loop jij toch hard,’ zegt hij.
‘Sorry, ik vergeet altijd dat ik zulke lange benen heb.’
‘Jij bent helemaal een lang mens.’
Marion grinnikt en zegt: ‘Daar werd ik vroeger ook altijd mee geplaagd. Ik was de langste van de klas. “Hé vuurtoren!” riepen ze dan. “Is het koud daar boven?” ’
‘Vond je dat erg?’ vraagt Ward.
‘Toen wel, maar nu niet meer. Als je groot wordt, gaan die dingen over.’
Ward knikt en zegt: ‘Ik wou dat ik al groot was.’

5 Nooit meer naar school

Ward zit thuis op zijn kamer.
Hij wil zijn trein weer laten rijden. De transformator is al een paar dagen stuk. Ward maakt het kleine kastje aan de onderkant open. Eerst drie schroefjes eruit en hij kan het afdekplaatje er zo af halen.
Hij kijkt heel lang naar een wirwar van draadjes en een grote koperen spoel.
Ah, daar zit iets los. Dat is al eens eerder gebeurd. Hij weet hoe het je dat kunt maken.
Ward steekt zijn schroevedraaier in de transformator en pats! Er komt een grote vlam uit en het wordt meteen donker in de kamer.
Stom, denkt Ward. Vergeten de stekker uit het stopcontact te halen.
Van onder aan de trap roept zijn moeder: 'Ward, wat ben je nou weer aan het doen?'
'Niks mam, ik maak m'n transformator.'
'Ik heb geen stroom meer in de keuken en alles is donker hier beneden.'
'Ik kom, mam! We moeten er gewoon een nieuwe stop in doen.'
Ward kijkt op zijn horloge. Achttien uur drieëntwintig. Het licht moet gemaakt zijn voordat zijn vader thuiskomt.

Hij stormt de trap af.
De laatste vijf treden slaat hij altijd over. Met een grote sprong ploft hij in de gang.
Zijn moeder kan nog net opzij springen. 'Hè Ward, doe dat nou toch niet. Je breekt je benen nog eens.'
Ward loopt naar het kleine kastje in de hoek van de gang.
'Wat ga je nou doen?' vraagt zijn moeder ongerust.
Ward maakt het kastje open en pakt de zaklamp die erin staat. Hij schijnt ermee langs de drie stenen potjes, waar de stoppen inzitten.

'Daar mag je helemaal nog niet aankomen,' zegt zijn moeder. 'Dat is niks voor kleine kinderen. Ward, laat dat! We wachten wel op papa.'
'Dat hoeft niet,' zegt Ward, 'want ik zie het al.' Hij draait het tweede potje los en haalt er een kapotte stop uit.
Uit een klein doosje pakt hij een nieuwe en draait die er weer in.
Ineens hoort hij de stem van zijn vader.
'Waarom is het hier zo donker?'
Op dat moment gaat het licht weer aan.
'Wat krijgen we nou?' roept zijn vader. 'Sinds wanneer zitten jongetjes van acht jaar in de stoppenkast. Ben je gek geworden, Ward!'
'Ik ben negen en ik weet hoe dat moet.'
'Jij moet overal van afblijven,' zegt zijn vader. 'Anneke, waarom heb je hem niet tegengehouden?'
Wards moeder staat er een beetje zielig bij.
'Ik weet het ook niet,' stamelt ze. 'Hij zei dat hij zijn transformator aan het repareren was en toen sloeg de stop door. Ik wist ook niet wat ik moest doen. Hij was me te vlug af. Voor ik het in de gaten had, zat hij in die stoppenkast.'
'Ik weet toch hoe dat moet,' zegt Ward weer.
Zijn vader kijkt hem hoofdschuddend aan.
'Ja ja, dát weet je allemaal wel. Daar ben je vlug genoeg in. Maar op school je best doen, is er niet bij.'
Bij Ward springen de tranen in zijn ogen.
'Rotzak!' roept hij en glipt langs zijn vader de trap op.
'Hou je grote mond!' roept zijn vader.
Boven aan de trap blijft Ward staan en schreeuwt nog een keer: 'Rotzak!'

'Naar je kamer jij! En blijf met je poten van die transformator af!'
'Voor jou zeker!'
'We halen die trein voorlopig van je kamer af. Daar ben je nog te klein voor.'
Woedend rent Ward zijn kamer in. Hij rukt een stuk rails van de vloer en smijt dat de gang in.
'Daar heb je je trein!'
Dan pakt hij de transformator en nog een stuk rails en keilt die er achteraan.
Met een knal gooit hij zijn kamerdeur dicht.
'Nu is het genoeg!' brult zijn vader en hij wil de trap op stormen.
Wards moeder pakt hem bij zijn arm. 'Niet doen, Theo! Je maakt het alleen maar erger.'

Het blijft een tijdje stil beneden in de gang.
Ward maakt heel voorzichtig zijn deur weer open en loopt naar de trap. Gespannen luistert hij naar wat er verder gaat gebeuren.
'Erger?' hoort hij zijn vader nu zeggen. 'Dat jong verpest hier de hele sfeer in huis. Het wordt tijd dat hij naar een andere school gaat, waar ze hem eens wat steviger aanpakken. Je had naar me moeten luisteren, toen vorig jaar die kleine school dichtging. Ik wilde hem toen al naar zo'n speciale school doen, maar jij wilde het niet en die juffrouw Andrea ook niet.'
'Jullie zijn gemeen!' roept Ward van boven. 'Ik ga niet naar zo'n domme-kinderen-school. Júllie zeggen dat ik dom ben en die stomme Fred ook. Maar ik kan lichten repareren en transformators. En ik weet hoe de video werkt, dat weet mama nog niet eens.'
Het is weer even stil beneden. Dan hoort hij zijn ouders druk met elkaar fluisteren.
Ineens roept zijn moeder boos: 'Theo, eigenlijk ben je net zo'n driftkikker als je zoon.'
De deur van de kamer wordt met een klap dichtgedaan.
Zijn ze weg?
Hij wacht een hele tijd, maar hoort niets meer.
Dan ziet hij ineens zijn vader de trap op komen. Hij wil zijn kamer in vluchten, maar zijn vader roept: 'Wacht nou even, Ward.'
Verbaasd blijft Ward staan. Het lijkt wel of zijn vader ineens niet meer boos is. Of doet hij nou maar alsof?
Zijn vader gaat op de bovenste tree zitten.
'Kom eens naast me zitten.'
Aarzelend schuift Ward naast zijn vader.

Eerst zeggen ze een hele tijd niks tegen elkaar.
Dan legt zijn vader een hand op Wards schouder.
'Ik wou tegen je zeggen dat het me spijt. Ik had niet zo moeten uitvallen. Sommige dingen kun je echt heel goed.'
Ward knikt.
Weer blijft het stil.
Hij kijkt naar zijn vader en denkt: papa is nou net een grote, droevige beer.
Na een poosje staat zijn vader op. 'Ik moet weg, want ik heb nog een vergadering.'
Hij loopt de trap af. Als hij bijna beneden is, roept Ward: 'En hoef ik niet naar zo'n domme-kinderen-school?'
Zijn vader draait zich naar hem om. 'Ik weet het niet, Ward. Ik weet niet wat het beste voor je is.'

In de kamer rinkelt de telefoon.
Even later komt Wards moeder de gang in en zegt: 'Theo, kun je even aan de telefoon komen?'

'Wie is het?' vraagt zijn vader.
'Fred, de meneer van Ward.'
Ward staat op en gaat terug naar zijn kamer.
Hij trapt zijn schoenen uit en kruipt met zijn kleren aan in bed.
De dekens trekt hij zover mogelijk over zich heen, terwijl hij zegt: 'Ik ga nóóit meer naar school.'

6 Ward!

'Ward, kom je eten,' roept zijn moeder alsof er niks gebeurd is.
Ward slaat zijn deken weg, stapt uit bed en loopt naar beneden.
Als hij aan tafel gaat zitten, gaapt zijn kleine zusje Iris hem schaapachtig aan.
'Kijk voor je!' roept hij.
Zijn moeder schept eten op zijn bord en zegt: 'Niet doen, Ward.'
Ward doet net of hij het niet hoort en vraagt: 'Ik moet zeker naar zo'n domme-kinderen-school van meneer Fred?'
Zijn moeder zucht. 'Een speciale school is niet voor domme kinderen, Ward. Het is voor kinderen die moeite hebben met leren.'
'Dat is dus wél voor domme kinderen en ik ben niet dom. Dat heeft Marion zelf gezegd. Zij gaat me helpen en dan gaat het vanzelf beter.'
Zijn moeder knikt. 'Dat hebben we ook gehoord van meneer Fred. Die heeft opgebeld.'
'Meneer Fred is een lul.'
'Zoiets zeg je niet van je meester. Jij bent vandaag ontzettend vervelend geweest, zei meneer Fred.'
Ward begint met eten.

‘Niet van die grote happen, Ward.’
Hij legt zijn vork neer en gaat voor zich uit zitten staren.
Iris kijkt eerst naar Ward en dan naar haar moeder. ‘In mijn klas zeggen ze ook dat Ward raar doet.’
‘Houd je mond, Iris,’ moppert moeder.
Ward wil zijn glas met water pakken. Met zijn mouw veegt hij door zijn bord.
‘Kijk nou uit wat je doet, Ward. Je hele trui zit onder de jus.’
Ward schuift zijn stoel naar achteren. De tranen springen in zijn ogen. Hij struikelt bijna over zijn eigen woorden als hij uitschreeuwt: ‘Ward, neem niet van die grote happen! Ward, je trui zit onder de jus! Ward, je kunt niet leren! Ward, blijf van de stoppen af! Ward, doe even normaal! Ward, je veters zijn los! Ward, blijf op je stoel zitten! Ward, wat heb je weer een puinhoop in je schrift gemaakt! Ward, ga jij maar op de gang! Ik ben stom, stom, stom! Ik kan niks! Helemaal niks. Was ik maar dood!’

Hij laat zich op de grond vallen en begint vreselijk te huilen. Zijn moeder zakt naast hem op haar knieën. Zachtjes streelt ze over zijn hoofd.
'Maar lieverd, je bent helemaal niet stom. Hoe kom je daar nou bij!'
Ward slaat haar arm weg.
Dan tilt zijn moeder hem op en drukt hem tegen zich aan. Hij spartelt tegen en probeert zich los te rukken. Zijn moeder slaat haar armen nog vaster om hem heen.
'Nee, nee, nee!' huilt Ward.
Ineens voelt hij alle boosheid uit zich weg glijden. Hij kruipt tegen zijn moeder aan en huilt zoals hij nog nooit gehuild heeft.
Zijn moeder zegt niks en houdt hem alleen maar vast.
Iris staart met open mond naar haar broer.
Als Ward wat rustiger wordt, kijkt hij zijn moeder aan.
'Moet jij nou ook huilen?' vraagt hij.
'Ja natuurlijk, lieverd, want je bent niet dom. Je bent soms een beetje anders, maar ik houd van je.'
'Waarom ben ik soms een beetje anders, mam?'
Zijn moeder haalt haar schouders op. 'Ik weet het niet. We denken soms wel eens dat het komt omdat jij als baby in het ziekenhuis hebt gelegen. Toen je een half jaar oud was, ben je erg ziek geweest. Je moest naar het ziekenhuis. Daar ben je drie maanden gebleven.'
'Dacht je dat ik doodging, mam?'
Zijn moeder knikt en knuffelt hem. 'Maar je ging niet dood, Ward. Na een tijdje werd je beter en mocht je eindelijk naar huis. Het was zo heerlijk toen je weer thuiskwam.'
Ward veegt de tranen uit zijn ogen.
'Doe ik daarom soms...' Zijn stem hapert even. 'Doe ik

daarom soms raar? Kan ik daarom niet zo goed leren?'
'Je doet niet raar. Maar het is niet goed voor een baby om zo lang in het ziekenhuis te liggen.'
Dat snapt Ward wel.
Dan vraagt hij: 'Heeft meneer Fred ook in het ziekenhuis gelegen toen hij baby was? Hij doet altijd raar.'
Zijn moeder lacht. 'Misschien wel. Daarom moet je maar proberen om een beetje rustig te zijn op school.'
Ward knikt.
'En je moet morgen tegen meneer Fred zeggen dat je spijt hebt van die schop.'
'Moet dat?'
'Je moet nog een heel jaar bij hem in de groep zitten. Als je nu al ruzie hebt, wordt het natuurlijk nooit wat tussen jullie.'
'Dat hoeft ook niet.'
'Natuurlijk hoeft dat wel. Meneer Fred zei dat hij met Marion gepraat heeft. Hij gaat jou ook extra helpen. Nou, dan moet jij ook je best doen en een beetje aardig voor hem zijn.'
Ward zucht.
'Goed,' zegt hij. 'Ik zal het proberen.'

7 Gelukt

Ward sjokt naar school.
Hij zal het vandaag echt proberen.
Hij zal op zijn stoel blijven zitten, niks omgooien en niet door de klas schreeuwen. Hij zal netjes schrijven en goed opletten.
'Hé Ward!'
Het is de stem van Lisa. Ze komt aanhollen en haalt hem hijgend in.
'Ik ga vandaag m'n best doen,' zegt Ward.
'Dat doe je toch al,' zegt Lisa. 'Je moet alleen niet zo... niet zo...'
'Raar doen,' vult Ward aan.
'Ja zoiets.'
'Dat komt door vroeger,' zegt Ward. Dan vertelt hij over het ziekenhuis.
Lisa kijkt hem met grote ogen aan. 'En ging je bijna dood?' vraagt ze.
'Ja, het was op het nippertje. Er was toen groot alarm in het ziekenhuis. Dat zie je ook wel eens op de televisie. Alle dokters kwamen aanrennen en ik moest meteen naar de operatiekamer. Ik lag op zo'n grote tafel met wielen. Ze scheurden met me door de gang en ze waren nog net op tijd in de

operatiekamer. Daar zijn ze wel drie dagen met mij bezig geweest, maar het is gelukt.'
'Wat goed,' zegt Lisa vol bewondering.
'Alleen, toen is er iets verkeerd gegaan. Ze hebben een paar draadjes verwisseld in mijn hoofd. Daarom doe ik soms een heel klein beetje raar. Maar nu ik weet hoe het komt, kan ik er beter op letten.'
Lisa knikt.
'Maar ik ben wel heel goed in stroom. Gisteren was bij ons thuis het licht stuk en ik heb het gemaakt.'
'Dat is hartstikke knap,' zegt Lisa.
Ineens roept een stem: 'Ward is op Lisa! Ward is op Lisa!'
'En Lisa op Ward!' roept een andere stem.
Het zijn Remco en zijn vriend Thijs.
'Rot op!' roept Ward.
Lisa pakt hem bij de hand.

'Laat ze toch stikken,' zegt ze. 'Ze zijn gewoon jaloers omdat wij vrienden zijn.'
Samen rennen ze naar school.
Meneer Fred staat bij de deur van de klas.
Ward en Lisa hangen hun jas aan de kapstok. Meneer Fred knikt hen vriendelijk toe.
'Ik zal niet meer schoppen,' zegt Ward.
'Prima,' antwoordt meneer Fred, 'dan is alles vergeven en vergeten.'
Ik geloof er niks van, denkt Ward. Hij loopt de klas in en schuift aan zijn tafel.
Lisa gaat tegenover hem zitten. 'Dat was goed,' zegt ze.
Remco stapt met een grote grijns de klas in en schuift aan bij hun groepje.
'Is de soep nog oem?' vraagt hij vals.
'Ophouden,' zegt Lisa, 'anders krijg je een dreun.'
'Van jou zeker?'
Meneer Fred klapt in zijn handen. 'Pak allemaal je rekenboek en je schrift voor je.'
Gelukkig, denkt Ward, want in rekenen is hij goed.
Meneer Fred begint op het bord te schrijven. Ze leren vandaag iets nieuws. Optellen en aftrekken onder elkaar.
Meneer Fred kalkt het hele bord vol met getallen en strepen.
Ward kijkt niet naar het bord maar naar zijn gezicht. Hij probeert zich meneer Fred voor te stellen als baby. Maar het blijft gewoon meneer Fred. Een heel grote baby met nette haren en een stropdas om die in een veel te klein wiegje ligt.
Ward schiet in de lach.
Lisa fluistert: 'Let nou op.'

O ja, hij zou zijn best doen.
'We schrijven nu de sommen in ons schrift,' zegt meneer Fred.
Waar is zijn schrift?
Ward schuift zijn stoel naar achter, valt op zijn knieën en rommelt in zijn kastje. Eerst glijdt er een boek op de grond, dan een stapel schriften en ten slotte een paar balpennen.
Meneer Fred kijkt verstoord op.
'Wat doe je, Ward?'
'Ik zoek mijn schrift.'
Dan klettert zijn kleurdoos op de grond.
De klas lacht.

Ward staart naar meneer Fred.
De gang, denkt hij. Daar ga ik weer.
Maar meneer Fred zegt: 'Laat maar even liggen. Heb je je schrift nou?'
Ward knikt.
Hij gaat weer zitten en begint de sommen over te schrijven. Hij krijgt die getallen nooit in die stomme hokjes. Misschien weet Marion daar een trucje voor. Ward kijkt naar de klok. Bijna kwart over negen. Nog even, dan komt ze hem halen.
Ward zwoegt en ploetert om de getallen in de hokjes te proppen. Het ziet er wel een beetje slordig uit, maar de sommen snapt hij. Hij wipt een paar keer op zijn stoel heen en weer.
Ineens staat meneer Fred naast hem. Hij raapt de kleurdoos op en kijkt in Wards schrift. 'De uitkomsten zijn in elk geval goed,' mompelt hij en loopt door.
Er wordt op de deur geklopt. Het is Marion.
Ward springt op en rent de klas uit.
Op de gang haalt hij opgelucht adem. Het is goed gegaan. Meneer Fred is niet één keer boos op hem geworden.
Opgewekt holt hij met Marion mee naar haar kamertje.
In de klas haalt meneer Fred ook opgelucht adem. Hij had Marion beloofd niet meer zo gauw boos te worden op Ward.
En dat is tot nu toe gelukt.

8 Lomperik

De dagen daarna gaat het goed.
Dat komt vooral door Marion. Ze oefent iedere dag drie kwartier met Ward.
Als hij 'kippenhok' moet schrijven, zegt Marion: 'Ga het eerst maar springen.'
Ward maakt drie sprongen door haar kamertje. Bij de eerste sprong roept hij: 'Kip!'
Bij de tweede sprong: 'Pen!' en bij de derde: 'Hok!'
Dan moet hij alle letters spellen.
Daarna schrijft hij het heel groot op een tekenvel. Eerst schrijft hij:

Pippenhok

Dan moet hij weer springen en hij schrijft:

kipenpok

Maar na de derde keer springen en nog een keer spellen, gaat het goed.

Het laatste kwartiertje leest Marion heel langzaam een verhaal voor. Ward mag meelezen in zijn eigen boek.
'We hebben eigenlijk te weinig tijd,' zegt Marion meestal als ze klaar zijn.
Vaak is Ward de volgende dag weer alles vergeten en schrijft hij toch weer 'pippenhok'.
'Maar we gaan door,' zegt Marion dan. 'Het komt vast goed.'
In de klas kan hij nog steeds niet stilzitten.
Meneer Fred probeert er niet te veel op te letten.
Vandaag zet hij een som op het bord en zegt: 'Eerst goed nadenken en wie het weet, steekt zijn vinger op.'
Ward schreeuwt meteen door de klas: 'Honderdtien!'

Meneer Fred wordt niet boos.
'Ward, even wachten,' zegt hij en hij schrijft een nieuwe som op.
De rest van de klas kijkt boos naar Ward.
Behalve Lisa want die fluistert gauw: 'Hou je mond, Ward.'
Ward bladert in zijn boek.

Niet naar het bord kijken, denkt hij. Gewoon niet kijken, anders doe ik het toch.
Het gaat drie sommen goed en dan vergist hij zich weer.
De meeste kinderen mopperen op hem. Zo krijgen ze nooit de kans om ook een goed antwoord te geven.
Meneer Fred zegt: 'Ga maar even op de gang.' Het klinkt niet eens onvriendelijk en hij zegt ook nog: 'Je komt maar terug als je weer gewoon mee kunt doen.'
Ward weet niet hoe snel hij op de gang moet komen. Hij maakt een rondje door de school en gaat Marion gedag zeggen.
Die is druk bezig met andere kinderen te helpen. Hij blijft even in haar kamertje om te luisteren naar de uitleg van Marion. Het is fijn om te merken dat er nog meer kinderen zijn die iets niet kunnen.
Daarna gaat hij terug naar zijn klas.
Als hij binnenkomt, gapen alle kinderen hem aan.
Ze vinden me vervelend, denkt hij. En stom. Maar dat geeft niet. Het komt allemaal goed.
'Ga maar gauw zitten,' zegt meneer Fred.
Ward probeert zachtjes te gaan zitten, maar hij schuift zijn stoel veel te hard naar achteren. Met een harde klap valt de stoel om.
Meneer Fred doet net of hij niks merkt en schrijft rustig door op het bord.
Maar Remco fluistert: 'Lomperik!'
En Thijs, die in het groepje achter hem zit, sist: 'Stomme koe!'
Ward pakt zijn rekenboek en geeft Remco een hengst op zijn kop. Daarna draait hij zich om naar Thijs en die krijgt ook een dreun.

Remco vloekt en Thijs begint te huilen.
Meneer Fred draait zich om naar de klas en vraagt boos:
'Wat gebeurt er nou weer?'
'Ward begint zo maar te slaan,' jammert Thijs.
'Met een boek,' roept Remco.
De vinger van meneer Fred priemt naar de deur en hij roept:
'Ward eruit!'
'Dat is niet eerlijk,' roept Lisa. 'Ze zaten Ward uit te schelden voor lomperik en voor domme koe.'
De klas lacht.
'Hou daarmee op,' snauwt meneer Fred tegen Remco en Thijs. 'Er wordt hier niet gescholden anders krijgen jullie straf. En Ward, doe even normaal.'
Hij draait zich weer om naar het bord en gaat door met schrijven alsof er niets gebeurd is.
Ward staart verbaasd naar meneer Fred.

Zie je wel, denkt hij, dat het beter gaat.
Remco fluistert: ‘Ik pak je nog wel een keer, lomperik.’
Maar Ward hoort het niet.
Hij lacht dankbaar tegen Lisa. Ze lacht terug en haar ogen zitten weer vol sterretjes.

9 Wardje!

Op vrijdagmiddag stapt Ward vrolijk naar school.
Het ging weer goed vanmorgen. Hij hoeft alleen de middag nog maar.
Hij loopt naar het huis van Lisa en belt aan.
Ze doet zelf open. 'Help eens mee,' zegt ze. Met veel moeite zeult ze een grote tas naar buiten.
'Wat heb je daar?' vraagt Ward.
'Ik houd vanmiddag mijn spreekbeurt over Barbies.'
'Barbies zijn stom.'
'Dan niet,' zegt Lisa.
'Wat niet?'
'Ik wou vragen of je me wilde helpen.'
'Met je Barbies?'
'Als ik wat vertel moet jij ermee rondgaan en ze aan de kinderen laten zien.'
Ward haalt zijn schouders op.
'Nou? Doe je het?'
'Ja... eh... ik weet niet.'
Hij hoort Remco al zeggen: 'Moet je Ward zien. Die speelt met Barbies.' De hele klas lacht hem natuurlijk weer uit.
'Hè Ward, doe niet zo flauw,' zegt Lisa. 'We zijn toch vrienden.'
Dat is waar, denkt Ward.

'Oké, ik doe het.'
Ward pakt een hengsel van de tas en samen stappen ze naar school.
In de klas zegt meneer Fred: 'We gaan er een gezellige middag van maken. Eerst oefenen we nog een keer de playback en dan houdt Lisa haar spreekbeurt. Daarna gaan we naar de schoolzaal voor de wedstrijd.'
'Hoi, hoi, hoi!' roept de hele groep.
De jongens die de muziek van de band nadoen, mogen voor de klas komen staan. Ze hebben zelf gitaren gemaakt van karton en een drumstel van dozen en blikjes.
Remco en Thijs zijn er ook bij. Remco steekt zijn tong uit tegen Ward. Die doet net of hij het niet ziet en gaat in een boek zitten bladeren.
Lisa, Esmee en Eline mogen voor de zangeressen spelen.
Meneer Fred zet de grote cassetterecorder op tafel en drukt de knop in. Er gebeurt niets.

'Ik snap het niet,' zegt meneer Fred. 'Dat ding zal toch niet kapot zijn.'
De kinderen schrikken: dan kan het niet doorgaan. En ze hebben nog wel zo hard geoefend. Ze weten zeker dat ze gaan winnen, want ze hebben een hele gave playback.
Meneer Fred prutst wat aan de cassetterecorder, maar er komt geen geluid uit.
Hij wordt een beetje zenuwachtig.
Lisa steekt haar vinger op. 'Meneer Fred,' zegt ze, 'je moet Ward laten kijken. Die is hartstikke goed in stroom.'
Meneer Fred kijkt naar Ward en vraagt: 'Kun je even komen, Ward?'
Het wordt ineens heel stil in de klas.
Ward komt naar voren. Hij rommelt eerst wat aan de cassetterecorder en loopt dan naar het stopcontact. Voorzichtig beweegt hij de stekker heen en weer en ineens klinkt er heel even muziek. Maar dan is het weer stil.
'Ik zie het al,' zegt hij en trekt de stekker uit het stopcontact. Dan haalt hij een zakmes uit zijn broek. Er zit een kleine schroevedraaier aan. Razendsnel schroeft hij de stekker open.
'Kijk, er zit een draadje los,' zegt hij en laat het aan de klas zien.
De klas kijkt ademloos toe alsof Ward een heel moeilijke operatie uitvoert.
Binnen een mum van tijd is de stekker gemaakt en schalt de muziek door de klas.
'Wardje! Wardje! Wardje!' juichen de kinderen.
Meneer Fred aait hem over zijn hoofd. 'Knap gedaan, Ward,' zegt hij.

Ward loopt langzaam terug naar zijn plaats. Van binnen gloeit hij helemaal.
Meneer Fred spoelt het bandje terug en dan kan de repetitie beginnen.
De jongens van de band playbacken beter dan ze ooit gedaan hebben en de meisjes zijn fantastisch.
Als ze klaar zijn, klapt de hele klas.
Meneer Fred zegt: 'Jongens, dit gaat echt heel goed. Dat

wordt straks, in de schoolzaal, een geweldig optreden. Dankzij Ward zijn we gered!'
Alle kinderen klappen nog een keer extra voor Ward. Als een echte held steekt hij zijn armen in de lucht.
Nu weet hij het zeker: hij hoeft niet naar een andere school.

10 Barbies

'En nu allemaal in de kring,' zegt meneer Fred als het weer rustig is in de klas. 'We krijgen nog een spreekbeurt van Lisa.'
Ward helpt Lisa met een grote tafel neerzetten. Daarop stalt ze al haar Barbies uit.
De jongens beginnen meteen flauwe opmerkingen te maken.
'Hebben ze onder die jurk ook iets aan?'
'Zit er ook een plasbarbie bij?'
'Wat een meidengedoe!'
Meneer Fred klapt in zijn handen. 'Hè, wat zijn jullie vervelend,' zegt hij. 'Toen Thijs zijn spreekbeurt over boksen deed, zeiden we ook niet: wat een jongensgedoe. Vooruit Lisa, we zijn benieuwd.'
Lisa vertelt eerst over de geschiedenis van Barbie. Haar moeder speelde al met Barbies. Ze komen uit Amerika en lijken op een filmster.
Dan laat ze een paar Barbies zien. De gewone Barbie, de Balletbarbie en de Vlinderbarbie, die een mooie jurk aanheeft met een grote vlinder erop.
Ward mag ermee de kring rondlopen.
Als meneer Fred even niet kijkt, tilt Remco gauw de jurk op en kijkt eronder.

Iedereen giechelt.
'Niet doen,' zegt Ward.
Remco stoot zijn buurman aan en fluistert: 'Ward is net een meid.'
Ward doet net of hij niks gehoord heeft en loopt door. Hij laat deze fijne middag niet meer verpesten door die stomme jochies.
'Dit is Ken, de vriend van Barbie,' zegt Lisa.
'En dit is Ward, de vriend van Lisa,' roept Thijs.
De klas ligt in een deuk.
Ward probeert ook te lachen, maar het lukt hem niet.
'Ophouden!' roept meneer Fred. 'Lisa ga door.'
Ze laat nu de kapsalon van Barbie zien en de Knip-en-kambarbie.
Als laatste haalt ze voorzichtig de Bruidsbarbie uit de grote tas. Ze heeft haar in een wollen sjaal gewikkeld.

'Dit is mijn mooiste Barbie,' zegt ze, terwijl ze de sjaal langzaam weghaalt.
'Ooooo,' roepen de meisjes.
De jongens doen het heel aanstellerig na.
Ward gaat de kring rond met de Bruidsbarbie.
De meeste kinderen kijken vol bewondering naar de zijden jurk met heel veel tule en kant erop.
Remco wil weer de jurk optillen, maar Ward trekt de pop snel terug. Remco houdt de jurk vast en scheurt er met een ruk een groot stuk kant af.
De hele klas schrikt.
Lisa begint te huilen.
'Dat deed Ward,' roept Remco. 'Die trok dat ding expres terug!'
'Dat... dat is niet waar,' stamelt Ward.
'Wel waar. Ward is hartstikke gek!'
Ward kijkt hem vuil aan.
Ineens is het fijne gevoel in hem verdwenen. Het is net of hij van binnen in brand staat. Niet doen, denkt hij nog, niet doen! Maar dan kan hem niks meer schelen. Woedend begint hij Remco op zijn hoofd te rammen met de Barbie.
'Nee!' gilt Lisa. 'Ward, nee!'
Ward is niet meer te houden.
Remco duikt in elkaar, maar Ward gaat door. Hij slaat hem waar hij hem raken kan.
Het hoofd van de pop schiet los en vliegt door de klas.
Meneer Fred springt van zijn stoel en grijpt Ward vast. Die rukt zich los en rent naar de tafel met de andere Barbies.
Gillend en krijsend smijt hij de poppen in de richting van meneer Fred en Remco.
Lisa begint hem op zijn rug te stompen, maar hij houdt niet

op. Hij pakt de kapsalon en gooit die ook naar Remco. Opnieuw wil meneer Fred hem vastgrijpen, maar Ward duikt onder zijn arm door en rent de klas uit.
Voor hij de deur dichtgooit, roept hij: 'Klootzakken!'

Hij rent wanhopig door de gang naar het kamertje van Marion.
Ze is er niet.
Hij draait zich om en holt de school uit.
Op het plein kijkt hij verwilderd om zich heen en vlucht dan het fietsenhok in.
Hij wil graag ontzettend hard huilen, maar het is net of zijn tranen op zijn.
Na een tijdje hoort hij een stem.
'Ward!'

Het is Marion.
Langzaam loopt hij naar haar toe.
'Kom,' zegt ze, 'ik heb alles gehoord. We gaan naar mijn kamertje.'
Als ze daar zijn, vraagt ze verder niets.
Ze geeft hem een prentenboek en gaat zelf zitten werken.
Ward bladert in het boek. Heel langzaam voelt hij zich rustig worden. Hij begint zachtjes te vertellen. Hij doet of het allemaal in het boek staat.
'Er waren eens twee jongetjes. Ze heetten Ward Een en Ward Twee. Ward Een probeerde altijd braaf te zijn. Hij deed heel erg zijn best om mooi te schrijven en om stil te zitten. Maar het was een heel saai jongetje. Hij leek een beetje op meneer Fred. Ward Twee was veel leuker, maar ja die kon niet stil zitten en maakte grote vlekken in zijn schrift. En iedereen die hem uitschold, kreeg een dreun. Daarom vond niemand hem aardig. En toch was hij de leukste. Uit!'
Met een klap slaat hij het boek dicht.
Marion knipoogt naar hem en zegt: 'Zo is dat, Ward!' Dan werkt ze weer door.
Als het kwart voor vier is, zegt ze: 'Luister Ward. Je moet niet schrikken maar meneer Fred gaat vanavond met je ouders praten.'
Ward schrikt wel.
'Maar ik ga met hem mee,' zegt Marion gauw. 'Dus we zien elkaar vanavond nog.'
Ward knikt en loopt zwijgend het kamertje uit.
In de schoolzaal is de playback-wedstrijd nog niet afgelopen, maar het kan hem niks meer schelen. Hij slentert naar huis.

Zijn ouders zijn alle twee al thuis.
Als hij binnenkomt, zegt zijn vader alleen maar: 'Onmiddellijk naar je kamer!'

11 Marion

Ward mag niet meer naar beneden.
Zijn moeder brengt hem zijn eten boven.
'Ward, Ward,' zegt ze hoofdschuddend, 'wat heb je nou toch weer allemaal gedaan. De moeder van Lisa is al hier geweest. Pap heeft uit je spaarpot geld gegeven voor een nieuwe Barbie.'
'Verdomme!' roept Ward.
Hij draait zich om en kijkt boos uit het raam.
'Er moet iets gebeuren,' zegt zijn moeder. 'Het kan zo niet langer.'
Ward geeft geen antwoord.
Als zijn moeder de kamer uit is, schreeuwt hij haar achterna: 'Ik ga niet naar zo'n domme-kinderen-school!'
Zijn bord eet hij voor de helft leeg. Daarna loopt hij wel twintig keer zijn kamer op en neer alsof hij opgesloten zit in een kooi. Hij voelt zijn hart kloppen en slaat met zijn vuist op zijn borst. 'Stil jij!' mompelt hij, maar zijn hart luistert niet.
Om zeven uur gaat de bel.
Zachtjes sluipt hij naar de gang en luistert aan de trap.
Hij hoort de stemmen van meneer Fred en Marion. Ze lopen door naar de huiskamer en de deur gaat dicht.
Ward gaat halverwege de trap zitten en probeert alles af te luisteren.

Vaag hoort hij iets. Het gemopper van meneer Fred en de boze stem van zijn vader. Hij hoort zijn moeder huilen.
Dan de rustige stem van Marion. Ze praat heel lang. Zijn moeder is opgehouden met huilen en zijn vader hoort hij instemmend brommen.
Ineens gaat de deur beneden in de gang open.
Ward loopt zachtjes terug naar zijn kamer.
Er komt iemand de trap op.
Even later staat Marion in zijn kamer. Ze gaat naast hem op bed zitten en strijkt met haar hand door zijn haren.
'Nee!' zegt Ward.
Marion trekt haar hand terug.
Ze kijken elkaar even aan.
Het blijft heel lang stil.
Dan vraagt Ward: 'Moet ik naar zo'n school?'
'Ward, ik wil je heel graag helpen, maar...'
'Je hebt zelf gezegd, dat ik niet hoefde.'
Marion zucht. 'Weet je Ward, ik kan je maar drie kwartier per dag helpen. Er zijn nog meer kinderen op school die iets niet goed snappen. En op zo'n speciale school...'
'Op zo'n domme-kinderen-school!'
'Op zo'n speciale school hebben ze heel kleine klassen. Daar kunnen ze je veel vaker helpen. Er daar vinden ze het ook niet erg dat je niet stil kunt zitten.'
'Nee!' zegt Ward weer.
'En niemand lacht je daar uit.'
Verbaasd kijkt Ward haar aan. 'Echt niet?'
'Juist niet. Alle kinderen die daar zitten, vinden leren ook moeilijk of kunnen hun aandacht niet bij de les houden. Maar alle kinderen weten ook dat ze daar de hele dag ge-

holpen kunnen worden. Daarom vinden ze het juist fijn op die school en ze lachen elkaar niet uit.'
Ward denkt even na en vraagt dan: 'Kan ik dan later toch schrijver worden?'
'Natuurlijk! Weet je wat we doen? We gaan binnenkort samen een keer kijken op zo'n school.'
'Mag mijn moeder dan ook mee?'
'Vast wel.'
'En wat doen we met meneer Fred?'
Marion lacht. 'Laat die maar aan mij over. Je blijft voorlopig bij mij in mijn kamertje werken.'
'En mijn vader?'
'Die is alleen maar blij als je naar een speciale school gaat. En hij zal proberen niet meer zo gauw boos op je te worden. Hij weet nu dat je de laatste tijd heel erg je best hebt gedaan.'
'En nou moet hij ook zijn best doen,' zegt Ward.
'Precies!'

Marion staat op. 'Ga je mee? Dan vertellen we aan je ouders dat we op zo'n speciale school gaan kijken.'
Ward heeft nu pas in de gaten dat er tranen in haar ogen staan.
'Huil je?' vraagt hij verbaasd.
'Het is al over,' zegt Marion en ze veegt gauw de tranen weg.
'Waarom huil je nou?'
'Ik hoopte zo dat je bij ons op school zou kunnen blijven. Ik dacht echt dat het zou lukken, maar er is te weinig tijd voor. En meneer Fred kan het ook niet met zo veel kinderen in de klas.'
Ward knikt en pakt haar bij de hand. 'Kom,' zegt hij, 'dan gaan we naar beneden.'
Samen lopen ze de trap af.

12 De Haven

Samen met zijn moeder en Marion loopt Ward een paar dagen later een ander schoolplein op.
'Hier is het,' zegt Marion. 'De Haven.'
Ze zien een laag gebouw. Het ziet er gezellig uit. De deur is felgeel en voor de ramen hangen gordijntjes. Midden op het plein staat een grote houten boot.
Boven de deur staat met grote letters: De Haven.
'Waarom heet die school zo?' vraagt Ward.
'Eigenlijk zat jij in de storm met je boot,' antwoordt Marion.
Ward kijkt haar vragend aan.
'Er ging met jouw boot van alles mis op school,' zegt Marion.
Nu snapt Ward het. 'Ik was bijna gezonken,' roept hij. 'Door het Fred-onweer en de gemene golven van Remco en Thijs.'
'Heel goed,' zegt Marion. 'En nou kom je met je boot in een veilige haven. Laten we maar eens gaan kijken.'
Een vriendelijke grijze meneer doet de deur open. Hij geeft eerst Ward een hand.
'Welkom op De Haven,' zegt hij. 'Ik ben de directeur en ik heet Sjef.'
Met Sjef wandelen ze door de school. Het ziet er van binnen

ook knus uit. Veel hoekjes met tafeltjes in de gang. Overal planten en kleurige schilderijen die door kinderen gemaakt zijn.
Dan neemt hij ze mee naar een klas.
De kinderen zitten net in de kring. Het is maar een heel klein groepje van een stuk of twaalf kinderen.
'Dit is Ward,' zegt Sjef, 'die komt een dagje op bezoek.'
Een kleine, dikke juffrouw komt naar hem toe. 'Ik ben Jannie. Komen jullie er maar gezellig bij zitten.'

De kinderen beginnen allemaal door elkaar te kwekken, terwijl Jannie drie stoelen bijschuift.
Jannie pakt een heel klein belletje en tingelt even zachtjes. Meteen is het stil.
'Dat is handig,' zegt Ward.
Om de beurt mogen de kinderen iets vertellen. Sommige kinderen hebben ook moeite met stilzitten. De jongen naast Ward valt twee keer van zijn stoel.
Niemand let erop en de jongen gaat gewoon weer zitten.
Eerst vertelt een jongen iets grappigs over zijn opa en dan houdt een meisje een warrig verhaal over haar konijn. Iedereen luistert rustig. Dan herhaalt Jannie heel langzaam wat het meisje zei. Nu snappen ze het allemaal. 'Vertel het nog maar een keer, Susan,' zegt Jannie vriendelijk tegen het meisje.
Susan begint opnieuw en ineens gaat het veel beter.
Na de kring pakken de kinderen hun werk.
Ward ziet dat ze allemaal met verschillende dingen bezig zijn. De een doet rekenen, de ander taal en Susan maakt een tekening bij een verhaal. Jannie loopt rond en helpt kinderen. Er komt nog een meneer de klas in die ook mee gaat uitleggen.
Ward zit in het groepje van Susan en mag ook een tekening maken.
'Ga je even naar Claartje?' zegt Jannie tegen Susan.
'Wat moet ze daar doen?' vraagt Ward als het meisje weg is.
'Claartje kan haar leren duidelijker te praten,' antwoordt Jannie.
Dat is fijn, denkt Ward. Ze hebben hier wel een hele hoop helpers.
Na een half uurtje gaan ze naar de gymzaal. Daar mogen ze

eerst rondrennen en dan zegt Jannie: ‘Nu gaan we kunsten maken op de evenwichtsbalk.’
Ze legt de balk op de grond en iedereen loopt eroverheen. Sommige kinderen smokkelen heel erg want ze stappen er steeds naast.
‘Goed zo,’ roept Jannie, ‘blijf doorgaan en doe het maar rustig aan.’
Een jongetje begint ineens hele rare sprongen te maken en door de zaal te rennen.
Jannie roept: ‘Roy, kom hier.’
Roy racet naar Jannie en botst bijna tegen haar op. Ze pakt hem stevig vast en zegt streng: ‘En nu ophouden!’
Roy knikt en gaat naast haar zitten.
Ward mag ook proberen over de balk te lopen. Halverwege verliest hij zijn evenwicht. Hij stapt gauw weer op de balk en loopt naar het einde.

Jannie klapt in haar handen. 'Goed gedaan, Ward.'
Zijn moeder en Marion mogen ook.
Marion valt er na drie stappen al af. 'Ik heb hoogtevrees,' roept ze.
Alle kinderen moeten lachen.
De dag op De Haven vliegt om.
Ward heeft inmiddels ontdekt dat sommige kinderen ook letters omdraaien. Nog veel erger dan hij doet. Andere kinderen kunnen niet goed rekenen. Ze maken hun sommen met allemaal blokjes en staafjes. Er is ook een jongen die in zijn broek plast, maar niemand lacht hem uit. Hij gaat gewoon de klas uit. Als hij even later terugkomt, heeft hij een andere broek aan.
Het laatste deel van de middag gaan ze knutselen.
Ward maakt van een doos een grote boot. Hij schildert hem in mooie kleuren en op de boeg zet hij: 'De Ward'.

Marion komt naast hem zitten.
'Gave boot,' zegt ze.
Ward kijkt haar stralend aan en roept: 'Hiermee vaar ik naar de haven!'

13 De brief

Ward moet nog een paar weken wachten voor hij naar De Haven gaat. Hij mag voorlopig bij Marion in het kamertje blijven werken.
Marion legt hem uit dat een groepje belangrijke mensen eerst over hem moet vergaderen.
'Toch niet met die stomme minister?' vraagt Ward.
'Een beetje wel,' antwoordt Marion. 'Je mag niet zomaar naar een speciale school. Dat kost veel geld en dat moet die minister betalen.'
'En als die vent nou nee zegt?'
'Maak je geen zorgen Ward. Ik weet zeker dat je naar De Haven mag. Dat hebben de directeur en Jannie zelf gezegd.'
'Die Jannie was net zo aardig als jij,' zegt Ward. 'Ik wist niet dat er ook kleine dikke Marionnen waren.'
'Nou en of.' Marion lacht. 'En heel dunne, heel lange en heel brede. Je hebt ze in alle maten en soorten.'
Als Ward die middag naar huis loopt, ziet hij Lisa.
'Hoi!' zegt hij.
Lisa kijkt hem woedend aan, roept: 'Barbiemoordenaar!' en rent weg.
De volgende dag vertelt hij het aan Marion.
'Weet je wat?' zegt ze. 'Je moet haar een brief schrijven en

vertellen dat je het niet expres gedaan hebt. Ik zal je helpen.'
Ward schrijft zo mooi mogelijk:

Liefve Lisa ik heb jouw Barbie ~~niet~~
expres kapott gemaakt
~~Ich~~ Het kwam door de jongens die
pesten me. Toen werd ik
reselijk boos. Ik vind het
stom dat ik jouw Bruidsbabie
gemold heb. Ik ga nu naar een
andere school, een speciale.
daar helpun ze je de hele dag.
dag Lisa. van WARD
(psd. daar is het niet erg als je van je stoel valt)

Die middag geeft Marion de brief aan Lisa.
Als Ward naar huis loopt, kijkt hij steeds om of hij Lisa niet ziet. Maar ze is nergens te bekennen.

14 Lisa

Als hij thuiskomt, vertelt hij zijn moeder over de brief.
'Dat was een goed idee,' zegt ze.
'Maar ik heb niks meer gehoord van Lisa.'
Zijn moeder knikt. 'Je moet haar ook even de tijd geven om erover na te denken.'
Ward kijkt op zijn horloge. 'Zestien uur vierenvijftig,' zegt hij. 'Ze heeft al meer dan twee uur kunnen nadenken.'
Zijn moeder lacht. 'Maar zo vlug gaat dat niet, Ward.'
'Maar we waren toch vrienden.'
'Dat is waar, maar ze vond het wel heel erg van die Barbie.'
'Ik heb die pop toch betaald.'
Verdrietig loopt Ward naar boven en gaat op zijn kamer zitten.
'Zeventien uur twintig,' zucht hij na een tijdje, 'nou komt het vast nooit meer goed.'
Dan gaat de bel.
Zijn moeder doet open.
'Ward, kom eens!' roept ze.
Ward rent de trap af. De laatste vijf treden slaat hij over en hij ploft in de gang.
Daar staat Lisa.
Haar ogen zitten vol sterretjes.